*A todos que possuem
uma criança em seu coração...*

© 1999 do texto por Nereide S. Santa Rosa
© 1999 das ilustrações por Mica Ribeiro
Callis Editora Ltda.
Todos os direitos reservados.
2ª edição, 2010
4ª reimpressão, 2021

Texto adequado às regras do novo Acordo Ortográfico da Língua Portuguesa

Publicado sob licença de Agência Artística SS Ltda.

Coordenação editorial: Miriam Gabbai
Preparação de texto: Helena B. Gomes Klimes
Escaneamento e tratamento das imagens: Márcio Uva
Diagramação: Carlos Magno

CIP-BRASIL. CATALOGAÇÃO-NA-FONTE
SINDICATO NACIONAL DOS EDITORES DE LIVROS, RJ

S222m
2.ed.

Santa Rosa, Nereide Schilaro, 1953-

    Monteiro Lobato / Nereide S. Santa Rosa ; ilustrações de Mica Ribeiro. - 2.ed. - São Paulo: Callis Ed., 2010.

il. color. - (Crianças famosas)

ISBN 978-85-7416-458-8

1. Lobato, Monteiro, 1882-1948 - Infância e juventude - Literatura infantojuvenil. 2. Escritores brasileiros - Biografia - Literatura infantojuvenil. 3. Literatura infantojuvenil brasileira. I. Ribeiro, Mica. II. Título. III. Série.

09-5729.   CDD: 928.699
     CDU: 929:821.134.3(81)
03.11.09   12.11.09   016177

Índices para catálogo sistemático
1. Brasil: Escritores: Biografia e obra 928.699

ISBN 978-85-7416-458-8

Impresso no Brasil

2021
Callis Editora Ltda.
Rua Oscar Freire, 379, 6º andar • 01426-001 • São Paulo • SP
Tel.: (11) 3068-5600 • Fax: (11) 3088-3133
www.callis.com.br • vendas@callis.com.br

Crianças Famosas

MONTEIRO LOBATO

Nereide S. Santa Rosa e Mica Ribeiro

callis

Dona Olímpia, mãe de Juca, orgulhosa do filho que acabava de nascer, escreveu em uma carta: "O menino que nasceu é robusto e terá o nome do pai, José Bento". Mas Juca foi batizado como José Renato Monteiro Lobato.

Juca nasceu em Taubaté, em 18 de abril de 1882, na casa de seus pais. Apesar de ter uma casa na fazenda Santa Maria, em Ribeirão das Almas, na serra da Mantiqueira.

E foi lá que Juca passou boa parte de sua infância.

Na fazenda, Juca gostava de ficar na varanda olhando a porteira, a mata e o ribeirão. Com as suas duas irmãs, Esther e Judith, e mais Generosa, filha da ex-escrava Joaquina, gostava de caçar borboletas usando sacos de filó presos numa armação de arame fixada num cabo de madeira. Juca era muito mandão, o que deixava suas irmãs furiosas com ele.

Quando tinha cinco anos, Juca e seu pai foram caçar na mata. Uma verdadeira aventura para ele. A certa altura, seu pai lhe disse:

— Fique quietinho aí.

Sua emoção era enorme, o coração batia forte e os olhos estavam bem abertos. De repente ouviu um ruído no alto das árvores. Olhou para cima e viu um vulto entre as folhagens. Sentiu tanto medo que não conseguia parar de tremer.

— O que aconteceu? — perguntou seu pai.

Juca não conseguiu responder.

Quando chegaram em casa, Juca contou para sua mãe o que havia acontecido na mata:

— Vi um índio voando entre as árvores!

Foi uma risada só! Na verdade era um macaco que pulava de galho em galho!

Juca sempre gostou de caçar e pescar. Aos 8 anos, ganhou sua primeira espingarda "Tico-Tico", com a qual sonhava caçar onças e jaguatiricas, naquele tempo a caça era como um esporte. Mas nunca caçou mais do que um preá.

Juca se lembraria da fazenda, da mata e do ribeirão por toda a sua vida.

Era no ribeirão que ele se divertia vendo Joaquina, a ex-escrava, pescar. Joaquina jogava uma peneira dentro da água. Na peneira apareciam lambaris, traíras e também baratinhas-d'água, caramujos e outros bichos esquisitos que eles nem sabiam o nome. Juca ficava imaginando como seria a vida daqueles bichinhos lá no fundo do ribeirão.

Certa vez, Joaquina pescou uma cobra-d'água! Que susto eles tomaram!

Mais tarde, pensando na Joaquina, Juca criaria a famosa Tia Nastácia.

Juca era um menino criativo, que estava sempre procurando descobrir coisas. Uma de suas brincadeiras preferidas era construir bonecos e animais. Usava sabugos de milho e chuchus, espetava palitos e pronto: já podia brincar com um cavalinho! Quando quisesse, transformaria o chuchu em outro animal.

— O sabugo ora é um homem, ora uma mulher, ora é um carro, ora é um boi. Boneco pronto é sempre um boneco — dizia.

Mais tarde, sua personagem Narizinho ficaria muito feliz ao ganhar bonecos construídos com sabugo de milho.

Aos cinco anos de idade, Juca já sabia ler e escrever. Sua mãe o havia ensinado. Desde então, seu lugar preferido era a biblioteca da casa do seu avô, o visconde de Tremembé. As estantes eram imensas, cheias de livros.

Juca ficava dias inteiros lendo os livros e vendo suas gravuras.

Seu primeiro livro foi *João Felpudo*, presente de sua mãe.

Sempre que podiam, Juca e suas irmãs iam visitar a avó Anacleta, que era professora na cidade de Taubaté. Adoravam ouvir as histórias que ela contava.

A figura doce e terna da avó Anacleta ficaria para sempre no coração e nas histórias que Juca escreveria, como a personagem Dona Benta.

Juca também adorava andar a cavalo. Certa vez ganhou um cavalo que havia sido treinado em um circo e sabia vários truques. Mas seu cavalo preferido sempre foi o Piquira, manso e pequenino. Tal qual seu personagem Pedrinho, Juca era bom cavaleiro.

Na escola, Juca aprendeu gramática com o professor Quirino, um homem alto, inteligente e exigente.

Juca o achava estranho porque ele usava cartola.

Quando o professor vinha caminhando na estrada, o pessoal avisava: "Lá vem ele!", e Juca corria de onde estivesse para vê-lo. Aquele homem parecia o Visconde de Sabugosa.

Juca gostava de ir à escola, mas das aulas de música não fazia questão. Estudou piano por pouco tempo, pois logo convenceu sua mãe a terminar com aquelas aulas. Suas vontades e opiniões eram aceitas pela família. Era conhecido como "mandãozinho".

— Eu sempre estou certo. Isso de erro é com os outros — dizia.

O nome verdadeiro de Juca era José Renato, mas ele decidiu mudá-lo para José Bento Monteiro Lobato, pois queria usar uma bonita bengala que pertencia a seu pai e tinha gravadas as iniciais do nome dele: José Bento Marcondes Lobato, J.B.M.L.

Quando desenhou uma paisagem para a avó, aos dez anos de idade, assinou a dedicatória com o nome igual ao do pai. Sua escolha estava feita!

Juca era corajoso e não fugia de seus problemas. Certa vez, na escola, enfrentou o garoto mais valente da turma. O menino veio bater nele e subiu em suas costas. Juca, aproveitando-se da situação, girou o corpo e fez o menino bater no batente da porta. O garoto desabou e, naquela escola, nunca mais ninguém enfrentou Juca.

— Não sou provocador, mas não recuso briga! — dizia.

Juca adorava fazer molecagens. Um dia, trocou o suco de abacaxi por suco de limão sem açúcar, só para perturbar as visitas de sua mãe. Em outra ocasião, Juca e um amigo resolveram pegar frutas de uma chácara.

Estavam quase conseguindo, quando o dono da chácara apareceu. Seu amigo saiu correndo, mas Juca não. Enfrentou com coragem a bronca do chacareiro.

Juca sempre assumia seus erros e suas traquinagens, mesmo que isso lhe custasse uma boa surra.

— Eu não minto. Nunca menti — falava com orgulho.

Parecia até que a sua personagem Emília já andava por lá!

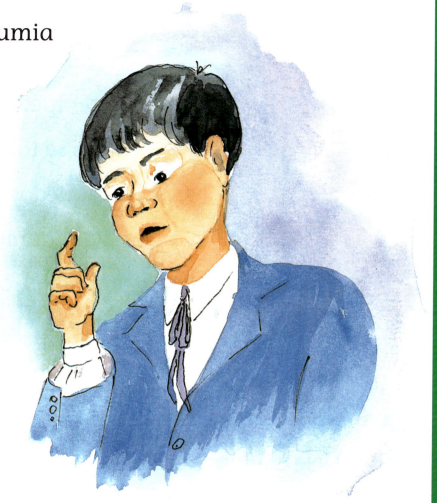

Juca queria aprender muitas coisas. Com o passar do tempo, os cadernos e os livros se tornaram seus brinquedos preferidos. Lia e relia algumas de suas histórias prediletas, como *O Menino Verde* e *João Felpudo*.

Juca tinha um caderno que era muito especial para ele, preparado com muito carinho. Nele colava textos, piadas, figuras de jornais, revistas e ainda desenhava suas próprias ilustrações.

Além de escrever e ler, Juca fazia desenhos das paisagens e das pessoas que conhecia. Se visse alguma pessoa interessante, ele a observava e, muitas vezes, fazia a sua caricatura.

Seu jeito de observar as pessoas e os fatos, sua inteligência e seu espírito crítico determinaram seu destino.

Monteiro Lobato iniciou a carreira como escritor aos quatorze anos, quando publicou uma pequena crônica no jornal da escola onde estudava.

Daí para frente, Monteiro Lobato não parou mais de escrever: cartas, artigos, traduções, discursos e, finalmente, livros.

Em 1900, foi estudar em São Paulo, onde se formou em Direito. Casou-se com Purezinha, com quem teve quatro filhos. Em 1920, fundou a primeira editora de livros do Brasil, a Monteiro Lobato e Companhia.

Além de criar os famosos personagens infantis: Emília, Narizinho, Pedrinho, Visconde de Sabugosa, Dona Benta e tantos mais, Monteiro Lobato brigou por suas ideias e opiniões. Trabalhou muito, sempre pensando no Brasil.

Emília

Narizinho

Pedrinho

Visconde de Sabugosa

Dona Benta

Tia Nastácia

Algumas de suas principais obras são:

Urupês

O escândalo do petróleo

Ideias de Jeca Tatu

Reinações de Narizinho

O Picapau Amarelo